Sachith

This book belongs to:

SACHITH
&
SACHINI

Illustrated by Jan Lewis
English language consultant: Betty Root

This is a Parragon book
This edition published in 2005

Copyright © 2004 Parragon

ISBN 1-40545-662-0

Printed in China

My First 1000 Words

illustrated by Jan Lewis

 toes

 hand

 knee

 elbow

 tummy

 nail

 shoulder

 hips

 ankle

 chest

 waist

 arm

 back

 leg

 thumb

 finger

 foot

 bottom

 heel

6

head

ear

eye

teeth

forehead

tongue

mouth

tongue

mouth

neck

hair

chin

cheek

sister

father

brother

mother

cousin

grandmother

grandfather

uncle

aunt

armchair

vase

shelf

compact disc

television

picture

umbrella

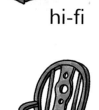
mirror

hi-fi

rocking chair

door

telephone

key

radio

lamp

radiator

books

light bulb

flowers

sofa

cupboard

clock

light

rug

newspaper

video

My house

switch

photograph

window

ornament

cushion

footstool

door handle

bookcase

mobile phone

carpet

candlestick

curtains

magazines

Clothes

T-shirt

belt

gloves

shirt

hat

trousers

jacket

pants

vest

shoes

jeans

raincoat

cardigan

skirt

socks

cap

sandals

dress

jumper

waistcoat

scarf

tights

coat

trainers

shorts

swimsuit

breakfast

lunch

dinner

salt

pepper

burger

toast

biscuits

lettuce

salad

lemonade

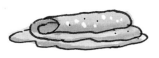
pancakes

cereal

steak

ham

tea

marmalade

bread

honey

coffee

chips

soup

sugar

peas

spaghetti

saucer

ironing board

apron

washing machine

table

saucepan

stool

food mixer

dustpan

broom

iron

jug

dishwasher

glass

knife

oven glove

cooker

chair

fork

In the kitchen

toaster

kitchen paper

calendar

sink

cup

spoon

egg cup

plate

highchair

teapot

mug

kettle

refrigerator

brush

frying pan

vacuum cleaner

scales

duster

plug

rolling pin

shed

butterfly

ladybird

hosepipe

worm

path

lawnmower

bird table

bush

spade

fork

nest

rake

hoe

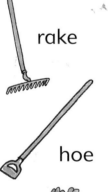
tree

watering can

leaves

snail

wasp

bee

grass

washing line

seeds

swing

dog

hammock

lead

trowel

hedge

roof

bonfire

greenhouse

smoke

pigeon

wheelbarrow

sprinkler

caterpillar

kennel

bone

nuts

paddling pool

barbecue

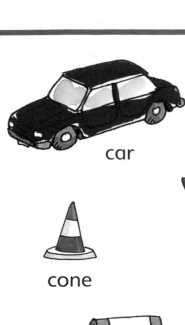

car

bicycle

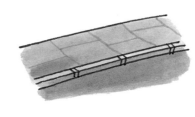

shop

dustbin

cone

ladder

parking meter

pavement

man

ambulance

drill

stall

bench

postman

café

litter bin

petrol pump

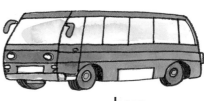

lorry

carrier bag

van

lamp post

police officer

bus

motorcycle

petrol station

woman

litter

firefighter

bus stop

stairs

pipes

taxi

police car

pushchair

drain

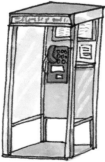
digger

phone box

fire engine

trolley

jam

milk

tins

pear

peppers

tomato ketchup

mushrooms

butter

handbag

rice

oranges

receipt

apples

sausages

sweetcorn

fruit juice

vegetables

banana

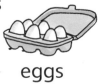

eggs

potatoes

carrots

cheese

plum

tomatoes

bottles

credit card

basket

shopping list

strawberries

cherries

onion

watermelon

pineapple

purse

checkout

chicken

pasta

meat

money

lemons

cucumber

grapes

magic wand

teddy bear

tricycle

yacht

roller skates

rattle

bat

guitar

doll

bricks

mask

racing car

dolls' house

skipping rope

fort

drum

skittles

dice

jack-in-the-box

rocking horse

puppet

arrow

marbles

paints

rocket

jigsaw

tool set

astronaut

ball

box

dinosaur

soldier

robot

helmet

bow

playing cards

scooter

alphabet

wastepaper
bin

glue

computer

felt tips

printer

tank

scissors

blackboard

xylophone

workbook

lunch box

poster

mouse

piano

colouring
pencils

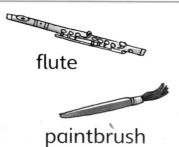
flute

paintbrush

hamster

cage

painting

easel

violin

paint pot

whiteboard

teacher

globe

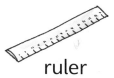
map

ruler

peg

desk

paper

keyboard

modelling clay

goldfish

recorder

chalks

plants

pencil

rubber

drawing pins

trumpet

canoeing

hang-gliding

jogging

high jump

squash

surfing

sailing

long jump

swimming

hockey

water skiing

diving

weight lifting

riding

ice hockey

football

boxing

snow boarding

rugby

American football

tennis

rowing

Sports

baseball

ice skating

gymnastics

go-kart racing

basketball

table tennis

windsurfing

badminton

archery

karate

netball

cycling

skiing

cricket

25

string

oar

sandwiches

notice board

slide

twig

fountain

sandpit

elbow pad

lollipop

birds

roundabout

picnic table

flower-bed

girl

knee pad

pond

climbing frame

children

frog

kite

dragonfly

tadpoles

branch

ice-cream van

boat

boy

park keeper

ducklings

rabbit

seesaw

gate

skateboard

jar

ice cream

swan

picnic

party hat

crisps

sticky tape

straw

birthday card

bow tie

fruit salad

cowboy

face paints

cloak

popcorn

mermaid

film

present

paper chain

sweet

party dress

party bag

candles

camcorder

camera

 balloon

 pirate

 necklace

cake

The birthday party

 matchbox

 magician

 bread rolls

 ribbon

 paper cup

 serviette

 chocolate

 tablecloth

 wrapping paper

banner

 cassette

pizza

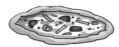 match

 top hat

patient

plaster cast

walking stick

mobile

wheelchair

monitor

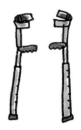
crutches

bandage

toys

comic

tray

blood

nurse

headphones

fruit bowl

X-ray

tweezers

blanket

first-aid box

walking frame

thermometer

lift

sling

doctor

envelope

sticking plaster

porter

tissues

stethoscope

slippers

watch

medicine

dressing gown

overall

pills

pillow

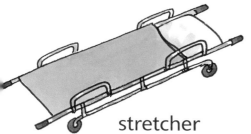
stretcher

sheet

ambulance man

cotton wool

air steward

control tower

battery

suitcase

luggage rack

label

boot

ticket office

headlights

aeroplane

tickets

kiosk

ticket collector

platform

rails

town

whistle

bonnet

airport

train driver

jumbo jet

passport

briefcase

breakdown lorry

helicopter

hot-air balloon

wing

backpack

railway station

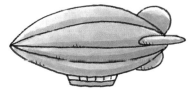

airship

wheel

train

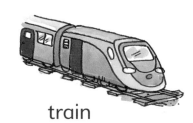

flag

escalator

roller-coaster

maze

computer game

candy floss

dodgems

hot dog

sparkler

big wheel

doughnuts

circus

mat

raft

water slide

restaurant

firework

tightrope walker

castle

acrobat

bouncy castle

ringmaster

carousel

helter-skelter

swimming pool

ghost train

cinema

clown

fancy dress

diving board

band

museum

trampoline

bubbles

bowling

juggler

 fisherman

 fox

 campfire

 rock

 tent

 sleeping bag

 blackberries

 trailer

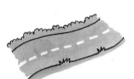 waterfall

 toad

 road

 heron

 hill

 church

 lock

 horse

 woodcutter

 cloud

 lake

 sky

36

tunnel

hare

windmill

river

logs

fishing rod

barbed wire

axe

owl

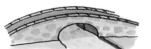
moth

bridge

forest

caravan

barge

canal

log cabin

camper

mountain

37

calf

barrel

combine harvester

donkey

ducks

lamb

field

sheep

goat

hen

sheepdog

pigsty

tractor

soil

farmer

kittens

boots

barn

plough

tanker

turkey

kid

farmhouse

sack

foal

scarecrow

chicks

trough

On the farm

orchard

bull

wall

pig

saddle

piglets

stable

wheat

bucket

cat

straw

cockerel

henhouse

goose

cow

hay

sandcastle

armbands

dinghy

ferry

shells

wave

sand

rubber ring

canoe

island

flippers

rope

jellyfish

pebbles

net

lifeguard

sail

wetsuit

cliff

flask

40

sunglasses

starfish

seaweed

bikini

anchor

surf board

beach ball

motorboat

sun cream

ice lolly

seagull

crab

sunhat

buoy

chain

lighthouse

sea

shrimp

goggles

rockpool

deckchair

snorkel

sunshade

41

The bedroom

dummy

wardrobe

pyjamas

bed

hot-water bottle

comb

hook

baby

hairbrush

alarm clock

duvet

night

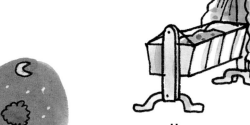

crib

hanger

nightdress

blind

chest of drawers

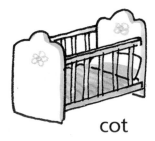

cot

toybox

bunk beds

shampoo

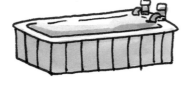
bath

water

toilet

towel

toothbrush

toilet paper

tap

sponge

soap

nappy

plug

toothpaste

flannel

towel rail

basin

bubblebath

shower

cut

brush

wash

look

catch

blow

cry

lick

chase

read

climb

dig

buy

sleep

jump

listen

clap

queue

write

pull

push

kiss

dance

swim

pick

play

cycle

knit

cook

dive

laugh

skip

walk

carry

smile

drink

run

sit

stand

eat

row

sing

in

out

down

up

happy

sad

under

over

cold

hot

wet

dry

hard

soft

thin

fat

empty

full

clean

dirty

dark

light

long

short

above

old

new

below

near

far

high

small

big

low

slow

fast

few

many

open

closed

47

dentist

actor

cook

gardener

dancer

waitress

scientist

singer

decorator

artist

hairdresser

plumber

bricklayer

secretary

florist

judge

dustbin man

butcher

electrician

diver

receptionist

sailor

wizard

witch

window cleaner

musician

ice skater

carpenter

TV announcer

baker

bus driver

journalist

librarian

mechanic

pilot

waiter

potter

climber

lorry driver

beekeeper

elephant

monkey

lion cubs

giraffe

zebra

deer

cheetah

tortoise

gorilla

rhinoceros

beaver

camel

whale

bear

lizard

flamingo

wolf

ostrich

kangaroo

chimpanzee

polar bear

toucan

shark

lion

leopard

peacock

penguin

parrot

crocodile

snake

seal

eagle

dolphin

raccoon

koala

tiger

porcupine

reindeer

puffin

hippopotamus

alligator

pelican

panda

Numbers

one

two

three

four

five

six

seven

eight

nine

ten

eleven

twelve

thirteen

fourteen

fifteen

sixteen

seventeen

eighteen

nineteen

twenty

20 twenty

30 thirty

40 forty

50 fifty

60 sixty

70 seventy

80 eighty

90 ninety

100 one hundred

purple

yellow

black

red

orange

blue

grey

green

white

brown

pink

Shapes

crescent

circle

triangle

diamond

star

rectangle

square

oval

octagon

hexagon

Days of the week

Monday

Tuesday

Wednesday

Thursday

Friday

Saturday

Sunday

Months of the year

January

February

March

April

May

June

July

August

September

October

November

December

Weather

rain

sun

snow

wind

rainbow

lightning

frost

fog

Seasons

spring

summer

autumn

winter

Alphabetical word list

a

above	47
acrobat	34
actor	48
aeroplane	32
airport	32
airship	33
air steward	32
alarm clock	42
alligator	51
alphabet	22
ambulance	16
ambulance man	31
American football	24
anchor	41
animal	51
ankle	6
apples	18
April	54
apron	12
archery	25
arm	6
armbands	40
armchair	8
arrow	21
artist	48
astronaut	21
August	54
aunt	7
autumn	54
axe	37

b

baby	42
back	6
backpack	33
badminton	25
baker	49
ball	21
balloon	29
banana	18
band	35
bandage	30
banner	29
barbecue	15
barbed wire	37
barge	37
barn	38
barrel	38

baseball	25
basin	43
basket	19
basketball	25
bat	20
bath	43
bathroom	43
battery	32
beach	41
beach ball	41
bear	50
beaver	50
bed	42
bedroom	42
bee	14
beekeeper	49
below	47
belt	10
bench	16
bicycle	16
big	47
big wheel	34
bikini	41
birds	26
bird table	14
birthday	29
birthday card	28
biscuits	11
black	53
blackberries	36
blackboard	22
blanket	30
blind	42
blood	30
blow	44
blue	53
boat	27
bone	15
bonfire	15
bonnet (car)	32
bookcase	9
books	8
boot (car)	32
boots	38
bottles	19
bottom	6
bouncy castle	34
bow	21
bowling	35

bow tie	28
box	21
boxing	24
boy	27
branch	27
bread	11
bread rolls	29
breakdown lorry	33
breakfast	11
bricklayer	48
bricks	20
bridge	37
briefcase	33
broom	12
brother	7
brown	53
brush (noun)	13
brush (verb)	44
bubblebath	43
bubbles	35
bucket	39
bull	39
bunk beds	42
buoy	41
burger	11
bus	16
bus driver	49
bus stop	17
bush	14
butcher	48
butter	18
butterfly	14
buy	44

c

café	16
cage	22
cake	29
calendar	13
calf	38
camcorder	28
camel	50
camera	29
camper	37
campfire	36
canal	37
candles	28
candlestick	9
candy floss	34
canoe	40
canoeing	24
cap	10
car	16

caravan	37	colour	53	dinner	11
cardigan	10	colouring pencils	22	dinosaur	21
carousel	35	comb	42	dirty	46
carpenter	49	combine harvester	38	dishwasher	12
carpet	9	comic	30	dive	45
carrier bag	16	compact disc	8	diver	48
carrots	19	computer	22	diving	24
carry	45	computer game	34	diving board	35
cassette	29	cone	16	doctor	30
castle	34	control tower	32	dodgems	34
cat	39	cook (noun)	48	dog	15
catch	44	cook (verb)	45	doll	20
caterpillar	15	cooker	12	dolls' house	20
cereal	11	cot	42	dolphin	51
chain	41	cotton wool	31	donkey	38
chair	12	countryside	37	doughnuts	34
chalks	23	cousin	7	door	8
chase	44	cow	39	door handle	9
checkout	19	cowboy	28	down	46
cheek	7	crab	41	dragonfly	27
cheese	19	credit card	19	drain	17
cheetah	50	crescent	53	drawing pins	23
cherries	19	crib	42	dress	10
chest	6	cricket	25	dressing gown	31
chest of drawers	42	crisps	28	drill	16
chicken	19	crocodile	51	drink	45
chicks	39	crutches	30	drum	20
children	27	cry	44	dry	46
chimpanzee	50	cucumber	19	ducklings	27
chin	7	cup	13	ducks	38
chips	11	cupboard	9	dummy	42
chocolate	29	curtains	9	dustbin	16
church	36	cushion	9	dustbin man	48
cinema	35	cut	44	duster	13
circle	53	cycle	45	dustpan	12
circus	34	cycling	25	duvet	42
clap	44				
clean	46	**d**		**e**	
cliff	40				
climb	44	dance	44	eagle	51
climber	49	dancer	48	ear	7
climbing frame	26	dark	46	easel	23
cloak	28	day	54	eat	45
clock	9	December	54	egg cup	13
closed	47	deckchair	41	eggs	18
clothes	10	decorator	48	eight	52
cloud	36	deer	50	eighteen	52
clown	35	dentist	48	elbow	6
coat	10	desk	23	elbow pad	26
cockerel	39	diamond	53	electrician	48
coffee	11	dice	20	elephant	50
cold	46	dig	44	eleven	52
		digger	17	empty	46
		dinghy	40	envelope	31

jellyfish	40	lick	44	Monday	54
jigsaw	21	lifeguard	40	money	19
jogging	24	lift	30	monitor	30
journalist	49	light (adjective)	46	monkey	50
judge	48	light (noun)	9	month	54
jug	12	light bulb	8	moth	37
juggler	35	lighthouse	41	mother	7
July	54	lightning	54	motorboat	41
jumbo jet	33	lion	51	motorcycle	17
jump	44	lion cubs	50	mountain	37
jumper	10	listen	44	mouse	22
June	54	litter	17	mouth	7
		litter bin	16	mug	13
k		lizard	50	museum	35
		lock	36	mushrooms	18
kangaroo	50	log cabin	37	musician	49
karate	25	logs	37		
kennel	15	lollipop	26	**n**	
kettle	13	long	47		
key	8	long jump	24	nail	6
keyboard	23	look	44	nappy	43
kid	39	lorry	16	near	47
kiosk	32	lorry driver	49	neck	7
kiss	44	low	47	necklace	29
kitchen	13	luggage rack	32	nest	14
kitchen paper	13	lunch	11	net	40
kite	27	lunch box	22	netball	25
kittens	38			new	47
knee	6	**m**		newspaper	9
knee pad	26			night	42
knife	12	magazines	9	nightdress	42
knit	45	magician	29	nine	52
koala	51	magic wand	20	nineteen	52
		man	16	nose	7
l		many	47	notice board	26
		map	23	November	54
label	32	marbles	21	number	52
ladder	16	March	54	nurse	30
ladybird	14	marmalade	11	nuts	15
lake	36	mask	20		
lamb	38	mat	34	**o**	
lamp	8	match	29		
lamp post	16	matchbox	29	oar	26
laugh	45	May	54	octagon	53
lawnmower	14	maze	34	October	54
lead	15	meat	19	old	47
leaves	14	mechanic	49	one	52
leg	6	medicine	31	onion	19
lemonade	11	mermaid	28	open	47
lemons	19	milk	18	orange (colour)	53
leopard	51	mirror	8	oranges (fruit)	18
lettuce	11	mobile	30	orchard	39
librarian	49	mobile phone	8	ornament	9
		modelling clay	23	ostrich	50
				out	46

58

sailor	49	sister	7	straw (drinking)	28
salad	11	sit	45	straw	39
salt	11	six	52	strawberries	19
sand	40	sixteen	52	street	17
sandals	10	skateboard	27	stretcher	31
sandcastle	40	skiing	25	string	26
sandpit	26	skip	45	sugar	11
sandwiches	26	skipping rope	20	suitcase	32
Saturday	54	skirt	10	summer	54
saucepan	12	skittles	20	sun	54
saucer	12	sky	36	sun cream	41
sausages	18	sleep	44	Sunday	54
scales	13	sleeping bag	36	sunglasses	41
scarecrow	39	slide	26	sunhat	41
scarf	10	sling	30	sunshade	41
school	23	slippers	31	supermarket	19
scientist	48	slow	47	surf board	41
scissors	22	small	47	surfing	24
scooter	21	smile	45	swan	27
sea	41	smoke	15	sweet	28
seagull	41	snail	14	sweetcorn	18
seal	51	snake	51	swim	45
seasons	54	snorkel	41	swimming	24
seaweed	41	snow	54	swimming pool	35
secretary	48	snow boarding	24	swimsuit	10
seeds	15	soap	43	swing	15
seesaw	27	socks	10	switch	9
September	54	sofa	8		
serviette	29	soft	46	**t**	
seven	52	soil	38		
seventeen	52	soldier	21	table	12
shampoo	43	soup	11	tablecloth	29
shape	53	spade	14	table tennis	25
shark	50	spaghetti	11	tadpoles	27
shed	14	sparkler	34	tank	22
sheep	38	sponge	43	tanker	38
sheepdog	38	spoon	13	tap	43
sheet	31	sport	25	taxi	17
shelf	8	spring	54	tea	11
shells	40	sprinkler	15	teacher	23
shirt	10	square	53	teapot	13
shoes	10	squash	24	teddy bear	20
shop	16	stable	39	teeth	7
shopping list	19	stairs	17	telephone	8
short	47	stall	16	television	8
shorts	10	stand	45	ten	53
shoulder	6	star	53	tennis	24
shower	43	starfish	41	tent	36
shrimp	41	steak	11	thermometer	30
sing	45	stethoscope	31	thin	46
singer	48	sticking plaster	31	thirteen	52
sink	13	sticky tape	28	three	52
		stool	12	thumb	6
				Thursday	54